Laura:
I hope that everytime you take
a look to this book, you remember
the time you spent in Guatemala and
your friendship with the Mother family.
Love; Lucia

1/23/2010

Cocina Guatemalteca

Recetas Típicas

Introducción histórica: Celso Lara Figueroa
Fotografías: Darío Morales
Coordinación: Eva Mª Fernández y Antonio Manilla
Diseño y maquetación: Maite Rabanal y Fernando Ampudia

12 Calle 10-55, Zona 1
GUATEMALA
PBX: (502) 2419 9191
Fax: (502) 2238 0866

ISBN: 978-84-441-0224-5
Depósito Legal: LE. 1358-2009

Impreso en España/Printed in Spain
EDITORIAL EVERGRÁFICAS, S. L.
Carretera León-A Coruña, km. 5
LEÓN (España)

Recetas de:

Blanca Galindo de Morales
Ayote en dulce, Caldo de res (cocido), Curtido rojo, Chuchitos, Pepián colorado, Pepián de manía, Pescado en amarillo, Pollo en jocón, Tamales colorados, Tamales negros

Olga Pérez de Cáceres
Buñuelos de anís, Enchiladas, Patitas a la vinagreta, Torrejas

Sandra Arroyave
Fiambre

Arrin Cuan
Kaq ik

El resto de recetas fueron colaboración de las señoras:
Julia Ortíz de López, Consuelo de Méndez y Lilian López.

Cocina Guatemalteca

Recetas Típicas

EDITORIAL ARTEMIS EDINTER
GUATEMALA

Índice general

LUCY

Introducción

La cocina guatemalteca, en sus distintas variantes, refleja el profundo mestizaje que ha sufrido la sociedad guatemalteca desde los albores de su historia hasta nuestros días. Esta tradición culinaria ha sabido asimilar mil y un sabores, mil y una recetas, mil y un platos. Muchas de las más antiguas recetas de la cultura maya y mayense son base de la cotidiana dieta guatemalteca.

Si se quisiera caracterizar en una sola palabra la comida **chapina**, podría definírsela como una comida **esencialmente barroca**, que refleja la personalidad colectiva de los que habitan el Sur de Mesoamérica, en este envoltorio mágico llamado Guatemala.

Sin temor a equívocos, puede afirmarse que en América Latina sólo dos pueblos saben hacer de la culinaria cotidiana y festiva un refinado modo de vida, y éstos son México y Guatemala.

Y como las formas de comer expresan la idiosincrasia de las sociedades, la guatemalteca es múltiple, pluriétnica y prolíficamente creativa, en donde los recetarios se nutren de maíz –madre maíz–, de los recados, de las carnes, de los frijoles, los frescos, las frutas, el queso, los aceites y el chocolate, así como de la impronta creativa anónima de cada familia, de cada cocinera, que desde la profundidad de su historia personal hace de la gastronomía de Guatemala una auténtica joya de arte, únicamente comparable con el colorido del país y las auténticas formas culturales que aún subsisten en este paraíso que es Guatemala.

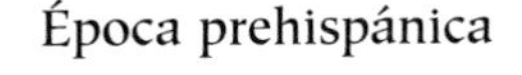

Breve recorrido por la historia y la cultura de Guatemala, "envoltorio mágico"

Celso A. Lara Figueroa
Profesor e investigador titular de la Universidad de San Carlos de Guatemala

Antecedentes

La historia de Guatemala se remonta al principio de la ocupación del territorio americano por el hombre. La incipiente investigación paleontológica ha revelado la presencia del hombre desde tiempos prehistóricos. En tal sentido, algunos espeleólogos franceses y guatemaltecos han rastreado estos vestigios en diversas cuevas del Norte del país, entre ellas Lanquín, Raxrrujá, en Alta Verapaz y otros sitios. Distintos utensilios líticos se han encontrado en algunas partes de Guatemala, como en otros lugares de Centroamérica, lo cual proporciona una prueba sobre la existencia del hombre en esta zona del mundo desde tiempos de la prehistoria.

Convento de Capuchinas, Antigua Guatemala

Época prehispánica

Periodo que precede a la conquista y colonización europea del Nuevo Mundo.

Guatemala tuvo en esta etapa histórica un esplendor poco común, y está incluida en el concepto de lo que se ha llamado Mesoamérica, área de alta cultura con rasgos comunes entre sí, con un desarrollo sociocultural más o menos uniforme. Durante este periodo, Guatemala contó con una población numerosa, que se había venido desarrollando desde la prehistoria (periodo llamado formativo o preclásico), la cual ocupaba las tierras hoy guatemaltecas cuando aparecieron las altas culturas, que, con base en la cronología maya, se denominan culturas clásicas de Mesoamérica; su florecimiento se sitúa entre los años 300 y 900 d. C.

Los diferentes grupos que integraban esta población, en su gran mayoría, se hallaban diseminados por las tierras altas de Guatemala, en la costa Sur y en las tierras bajas del Petén, Verapaz, Izábal, Honduras, Chiapas, Tabasco, Yucatán, Campeche y la costa del golfo de México.

Gracias al descubrimiento del maíz y a la agricultura en general, esta población hablaba una lengua común, el protomaya, generalizada en todo el área. De esta lengua primaria se fueron separando, de acuerdo con el desarrollo histórico local, varias ramas que componen la familia de las lenguas mayenses, entre las que pueden citarse el yucateco, lacandón, quiché, cakchiquel, zutuhil, keckchí, pokomán, pokomchimán, aguacateco, jacalteco, ixil, chental, chuj, chortí y kanjobal.

La esplendorosa civilización maya se colapsó hacia el año 900 d. C., creando un proceso de rearticulación de las fuerzas sociales en nuestros pueblos, los mayenses, que se consolidan en los siglos XIV y XV.

En el siglo XVI, los pueblos mayas se reorganizaban cuando irrumpieron las fuerzas españolas.

Los pueblos nativos estaban ubicados en el altiplano central de Guatemala. Sus ciudades-fortaleza les servían como centro administrativo, cívico y religioso, y al arribo de los españoles ya habían alcanzado un alto grado de desarrollo sociocultural.

Entre aquellos pueblos destacan los quichés y los cakchiqueles, entre otros, cuya organización social estaba muy ligada a la maya y a la, todavía fresca, invasión tolteca.

Otros señoríos importantes fueron los mames y los zutuhiles. Durante los siglos XV y XVI estos pueblos tuvieron poderío bélico y se encontraban en francas guerras de expansión y consolidación de territorio, especialmente con los dos grupos mayores mencionados antes: quichés y cakchiqueles.

Ancestralmente, los mayas absorbieron a la minoría invasora y los rasgos mayas se impusieron, difuminándose así los patrones culturales toltecas.

Estos señoríos del altiplano central de Guatemala estaban recogidos por una tetrarquía, en la cual dos señores ejercían las principales funciones de gobierno, el tercero era sacerdote, y el cuarto, jefe de los ejércitos. La tetrarquía era hereditaria; sin embargo, estaba regida por el consejo de señores o jefes de las casas grandes, que en realidad eran la oligarquía gobernante.

Tuvieron un alto desarrollo en cálculos matemáticos, escritura, artes y artesanías manuales, así como organización religiosa.

En este grado de desarrollo se encontraban los pueblos guatemaltecos cuando en 1524 irrumpió Pedro de Alvarado con sus huestes españolas, cambiando así el curso de la historia del Nuevo Mundo y poniendo punto final al período prehispánico.

Época colonial. Descubrimiento y conquista

El Nuevo Mundo siempre estuvo presente en la ciencia y las fantasías de los viajeros y científicos de la vieja Europa. Las expediciones de navegantes escandinavos, en el siglo X, bajo el mando del legendario Erik el Rojo, exploraron Groenlandia y allí se establecieron para luego llegar a Terranova, en el norte de América. Pero no fue hasta siglos más tarde cuando las expediciones de esta naturaleza produjeron la expansión europea sobre este lado del océano.

El 12 de octubre de 1492, Cristóbal Colón, navegante genovés bajo la protección de los Reyes Católicos de España, Fernando e Isabel, tocó por primera vez tierra americana y, luego de tres viajes sucesivos más, dejó abiertas las puertas para nuevas hazañas y conquistas de estas tierras, especialmente después del descubrimiento del Mar del Sur en 1513 por Vasco Núñez de Bal-

Patio interior de la Universidad de San Carlos. Antigua Guatemala

boa, lo cual puso de manifiesto que Cristóbal Colón no había llegado a las Indias Orientales como se creía, sino a un nuevo mundo. La proeza de Balboa abrió el camino para el dominio sobre el imperio de los incas en el Perú y para las primeras conquistas en Centroamérica.

Hernán Cortés, después de una larga lucha, conquistó México en 1521. Entre sus capitanes se encontraba Pedro de Alvarado y Contreras, a quien Cortés confió la misión de conquistar el territorio de Guatemala, en donde, según supo, había pueblos ricos y civilizados. Alvarado salió de México en diciembre de 1523 al mando de trescientos españoles y muchos indios tlaxcaltecas. Tuvo los primeros encuentros con indios quichés a lo largo de su camino en la batalla del río Tilapa; después, en la conquista de Zapotitlán y la batalla de las faldas del volcán Santa María; y finalmente derrotó a los indios en las llanuras del Pinar, en Quetzaltenango. Se dirigió luego a Gumarkaaj, capital de los quichés, la cual incendió. Más tarde conquistó el señorío tzutuhil y entró en la ciudad cakchiquel de Iximché, en donde sentó sus reales, y fundó la ciudad de Santiago de Guatemala el 25 de julio de 1524.

Consolidación del Estado español en Guatemala

Durante los primeros años de la colonia, el territorio centroamericano estuvo gobernado de diferentes maneras y dividido en provincias independientes entre sí. En 1542, la Corona promulgó las llamadas Ordenanzas de Barcelona o Leyes Nuevas, que establecían, entre otras cosas, la institución de las Reales Audiencias que consolidaban el poder español en América. Fue entonces cuando se creó la Audiencia de los Confines, gobierno bajo el cual se reunieron todas las provincias comprendidas entre el istmo de Tehuantepec y el istmo del Darién.

Con estas disposiciones tomó forma el dominio español en Guatemala y el resto de América. Después de múltiples problemas se suprimió la Audiencia de los Confines, y se creó la Audiencia de Guatemala en 1568, cuya jurisdicción durante los siglos siguientes comprendió Chiapas, Tabasco, Belice y toda Centroamérica, formando así la capitanía general o reino de Guatemala.

Vicisitudes de la capital de la capitanía

La ciudad no estuvo mucho tiempo en el lugar que la fundara Pedro de Alvarado, ya que la sublevación de los cackchiqueles en 1527 hizo buscar a los españoles otro sitio más apropiado, y así, el 22 de noviembre de 1527, se asentaron en el valle de Almolonga, en las faldas del volcán de Agua. Quince años más tarde, en 1541, la ciudad fue destruida por una corriente de agua que bajó del cercano volcán. Se trasladó, esta vez, al valle de Panchoy, donde quedó definitivamente asentada a partir de 1543.

La capital de la capitanía general de Guatemala residió en el valle de Panchoy durante dos siglos y medio, con todo esplendor, hasta el año de 1773, cuando fue destruida por los terremotos de Santa Marta, hecho que obligó a un nuevo traslado. Ahora fue al valle de la Virgen, que es el lugar donde hoy se encuentra, y este hecho sucedió en 1776, fecha en la que se bautizó con el nombre de Nueva Guatemala de la Asunción.

La colonia vino a cambiar la fase de la antigua población americana. Nuevas instituciones sociales y de gobierno se instalaron: baste mencionar que la capitanía general de Guatemala estuvo regida por un capitán general, quien, a su vez, era presidente de la Audiencia, gobernador y vicepatrón real. Dentro de las instituciones socio-políticas que regían la vida administrativa de la capitanía, cabe destacar la creación de los ayuntamientos, además de la Real Audiencia y Cancillería, que era un tribunal de justicia donde se ventilaban todos los asuntos judiciales.

Las autoridades eclesiásticas residían en la capital del reino. El Obispado se creó en 1534, segundo en Centroamérica, y tenía su catedral de Santiago de Guatemala. En 1743 fue elevado a la dignidad de Arzobispado, convirtiéndose la catedral en metropolitana, y de ella dependieron, desde entonces, todos los obispados de Centroamérica, hasta después de la independencia en 1821.

Además de las escuelas doctrinarias y de primeras letras, funcionaron los colegios conventuales para la preparación de los clérigos. Estos colegios podían otorgar grados de licenciado, bachiller y maestro a los

Templo I, Tikal

no religiosos. Los más notables fueron los de Santo Tomás y San Francisco de Borja.

La Universidad de San Carlos de Guatemala, fundada en 1676, fue una de las primeras del continente. Su creación señaló un enorme progreso en la cultura colonial.

Otro aspecto importante fue la instalación de la imprenta en 1660, a instancias del obispo fray Payo Enríquez de Rivera, siendo el primer impresor don José de Pineda Ibarra. La aparición de la "Gaceta de Goathemala" marcó un adelanto espiritual y social de la colonia, pues fue el primer periódico, que empezó a circular en noviembre de 1729.

La estructura social de la colonia era bastante compleja, porque a la división social hay que agregar el factor étnico. Sin embargo, todos los guatemaltecos eran considerados súbditos del rey de España.

La escala social fluctuaba de los principales hombres llegados de España y radicados en Guatemala, con posesiones de tierras, a los artesanos y agricultores, negros e indios que hasta 1542 fueron considerados esclavos.

La economía de la colonia estuvo basada fundamentalmente en la agricultura, siendo los cultivos principales el cacao, el añil o xiquilite, el tabaco y la cochinilla, en los últimos años del siglo XVIII. Además, se producía todo lo necesario para el consumo interno: maíz, frijol, trigo, hortalizas y árboles frutales. Abundó también la plantación de algodón y caña de azúcar.

La industria más próspera fue la de los obrajes, entre los que destacaban los colorantes, como el añil, y los de fabricación de telas. Como el comercio de las colonias era monopolizado por España, se tenía una economía cerrada. El comercio interno lo realizaban tanto los indios como los arrieros que recorrían la capitanía con sus recuas de mulas. Finalmente, en el plano económico-social encontramos a los gremios de artesanos y artistas, que lograron conservar sus tradiciones, crear y transmitir toda una herencia cultural durante siglos.

En el siglo XVIII, el movimiento de la ilustración dio a las colonias americanas un giro más avanzado en todos los órdenes de vida, lo que trajo como resultado un mayor conocimiento de estas tierras y un mejor arraigo de los criollos en América, tierra que por primera vez consideraron propia, diferente de la Península. Carlos III introdujo profundas reformas en las instituciones políticas y sociales, entre las que destaca la mayor autonomía que se dio a los cabildos.

Entre las reformas políticas se encuentra la implantación del régimen de intendencias, que dio una nueva distribución administrativa a la capitanía, lo que en Guatemala se puso en vigor en el año 1790.

Las más importantes reformas económicas fueron el libre comercio y la fundación del consulado de comercio y de la Sociedad de Amigos del País.

La cultura alcanzó un fuerte impulso: se modificaron los planes de estudio de la universidad y se fundaron cátedras y escuelas de artes, y también se financiaron las grandes expediciones científicas del XVIII.

Hacia finales de este siglo, muchos acontecimientos internos y externos preparaban el movimiento de independencia de la capitanía general.

El absolutismo de Carlos IV, la independencia de los Estados Unidos en 1776, la influencia de la Revolución Francesa en 1789, así como el fortalecimiento de los criollos en la colonia y los distintos motines de indios y de la población urbana, abonaron el campo de las ideas de emancipación.

Las exigencias de la Corona, representada por Fernando VII, y las Cortes de Cádiz de 1810, que declararon la monarquía constitucional, prepararon el movimiento de independencia en toda América.

Guatemala, sin mayor derramamiento de sangre, declaró su independencia de España el 15 de septiembre de 1821, acto que puso punto final al dominio español en Centroamérica.

Época republicana

La capitanía general de Guatemala se vio convulsionada por los sucesos de la declaración de independencia. Se llevaron a cabo anárquicos movimientos políticos, entre los que están la anexión de algunas de las provincias a México y la declaración de independencia de otras, situación que no se pudo conjurar hasta 1823, cuando la Asamblea Nacional Constituyente declaró la independencia absoluta y dio al país un gobierno federal, con sus respectivos organismos, y las provincias se convirtieron en estados.

Hasta 1838, Centroamérica, y particularmente Guatemala, se encontraban en un caos político, social y económico, agudizado por las guerras civiles que involucraron a los estados.

Hacia 1838, el sustrato económico de la república ya se había estabilizado en el cultivo, explotación y exportación de la cochinilla. Ello acarreó una relativa estabilidad social y política, basada en una rígida estructura social. La Iglesia dominó los asuntos públicos nacionales en estrecha vinculación con los productores del tinte.

Este orden de cosas empezó a resquebrajarse en la década de 1860, al caer los precios del colorante en el mercado internacional, debido al descubrimiento de las anilinas en Alemania. La situación económico-social hizo crisis en el año de 1871. Se intensificó entonces el cultivo del café, que ya se venía experimentando desde la década de los cincuenta. Este traslado de un cultivo a otro, como base económica del país, trajo por consiguiente una redistribución de la tierra y nuevas relaciones sociales, lo que abrió la puerta al período liberal. Pero el régimen de los 30 años logró la consolidación de la república de Guatemala, evitando su fragmentación.

Asimismo, vigorizó la influencia de Guatemala en el contexto centroamericano.

En el plano interno, este largo período contempló el desarrollo de adelantos sociales y culturales, lo que permitió la bonanza derivada de la exportación de cochinilla. A esta época corresponde un alto desarrollo en la música y en la literatura.

Con el período liberal, a partir de 1871, se inició una nueva época en la cual destacan las figuras de los generales Miguel García Granados y Justo Rufino Barrios.

La base económica del régimen, el cultivo del café, al contrario de la cochinilla, necesitaba una reforma de las relaciones sociales. Se operaron, en efecto, cambios en la estructura económica: se fundó el Banco Nacional y se organizó un sistema monetario; se tendieron vías para los ferrocarriles y se introdujo el telégrafo, se abrieron caminos y se llevó a cabo una profunda reforma educativa y se impulsaron las artes y la construcción de edificios.

Algunas reformas legislativas también fueron necesarias. La Iglesia perdió sus privilegios y se confiscaron todas sus propiedades; asimismo fueron expulsadas las órdenes monásticas.

De 1885 al 1944 se sucedieron una serie de gobiernos neoliberales que trataron de mantener la imagen del progreso y la libertad en Guatemala. Sobresale la gestión del general José María Reyna Barrios (1892-1898), quien dio un fuerte impulso a la educación y a las artes, y también impuso la modernización urbanística de Guatemala.

Dos dictaduras se sucedieron a principios del siglo XX, con breves períodos democráticos, que aislaron a Guatemala del resto del mundo. Sin embargo, las dos grandes guerras y la expansión económica de los Estados Unidos permitieron a Guatemala situarse en un nuevo marco mundial a partir de 1944, cuando con la instalación de gobiernos con marcado énfasis en la transformación socioeconómica de Guatemala le abrieron una posibilidad mediante la práctica de procesos democráticos.

Pastora en los Cuchumatanes, Huehuetenango.

La Guatemala de hoy

A punto de entrar en un nuevo milenio, Guatemala ha asentado sólidamente sus bases como nación. Con un muy diverso contingente de población, los guatemaltecos de hoy buscan afanosamente consolidar su identidad cultural, hurgando en sus raíces ancestrales, en su presente y en sus procesos históricos. La Guatemala del presente ha asumido su papel en la historia y pretende reafirmarse más, como una colectividad consciente de su lugar dentro del mundo en el que actúa.

Cocina Tradicional Guatemalteca

Guatemala, junto con algunas regiones de México como Oaxaca, Puebla y Guanajuato, es uno de los pueblos donde mejor se come en el mundo americano, por la variedad y riqueza de sus platos y el profundo simbolismo que hay en cada una de sus viandas. Puede afirmarse que en la cocina guatemalteca se percibe la propia idiosincrasia del guatemalteco: variado, barroco en sus apreciaciones e intensamente creativo. En la comida del país puede leerse la propia historia de Guatemala, y un pueblo es lo que come, por lo que Guatemala constituye uno de los de mayor riqueza alimenticia en esta región del Nuevo Mundo. Y si la historia está presente en cada ingrediente de la **comida chapina**, los antecedentes de la misma son muy profundos y variados.

No obstante, poco o nada se ha investigado sobre la culinaria tradicional de Guatemala.

De tal manera que tomamos lo sañalado por Luis Luján Muñoz en su estudio "Apuntes para la Historia de los hábitos alimenticios en Guatemala" (Anónimo. **Lybro de Cocyna**, 1844. Guatemala: CEFOL / USAC, 1972, pp. XV-XX), para afrontar los orígenes de la cocina guatemalteca. Apunta el ilustre historiador guatemalteco:

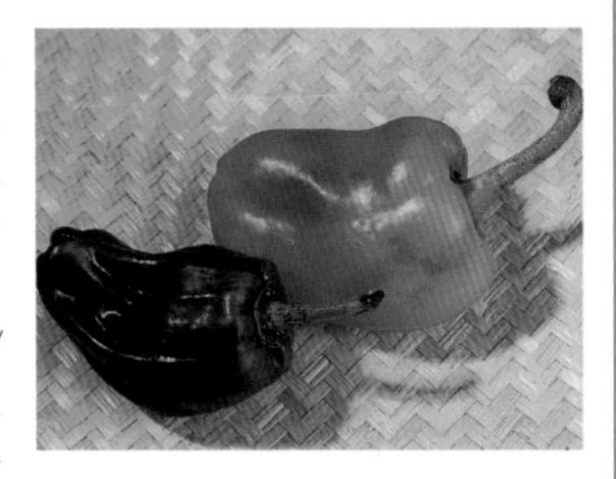

"Desde muy temprano, después de la conquista, se puede percibir el surgimiento de esa cocina mestiza. Tanto los españoles como los indígenas adoptaron con relativa rapidez determinados hábitos alimenticios de su contraparte. Así los indígenas pronto se habituaron a las carnes que les proporcionaban las diferentes clases de ganado, y los españoles pronto se habituaron a comer la carne del perro mudo, que casi extinguieron, y del pavo. Asimismo, al uso tan diverso del maíz, y a beber chocolate.

A propósito del chocolate, debemos mencionar que es éste, quizá, el principal aporte de la cocina guatemalteca, tanto por su origen prehispánico como por haber sido las damas guatemaltecas las inventoras del chocolate en tabletas, invención que ha alcanzado una popularidad verdaderamente universal a partir de finales del siglo XVI".

Fray Tomás Gage describe minuciosamente algunos de los hábitos culinarios de los guatemaltecos, especialmente en lo que se refiere al uso del chocolate y de los atoles, así como la existencia de numerosos mercados, que desde la época prehispánica fueron centros fundamentales de la culinaria, tal como en la actualidad lo siguen siendo. Dice Gage, a propósito del mercado del barrio de Santo Domingo en Santiago de Guatemala:

"Allí se tiene todos los días un pequeño mercado, donde algunos indios pasan todo el día vendiendo frutas, hierbas y cacao; pero hacia las cuatro de la tarde está lleno durante una hora, donde las indias vienen a vender cosas delicadas a los criollos; como atol, pinole, manteca de cacao, palmitos cocidos, hechos con maíz y un poco de carne de gallina o de puerco fresco sazonado con chile o pimiento largo, que ellos llaman anacatumales".

En ese mismo siglo, a finales, Fuentes y Guzmán nos brinda interesantes datos sobre comidas guatemaltecas, citando el elogio de Juan de Laet al popular atole, quien dijo "quanto itaque maior laus debetur nostro atole". Menciona Fuentes y Guzmán los siguientes atoles: **istatatole** o atole blanco, **jacatole** o atole agrio, **neotinatole** o atole de miel, **chilatole**, que se preparaba con chile, **epasoatole**, que hacía uso de apasote, **chiamatole** con chian, **tlamizatole** con chile guaque y apasote, **elotatole** del grano tierno de maíz, a más del **chilat**, **cumalatole**, **champurrado** y **coscuz** con maíz blanco.

Del pavo de la tierra, llamado por nosotros chompipe o chuntan, que ahora decimos chunto, escribe Fuentes y Guzmán:

"... siendo para el gusto y el sustento no menos estimable la sazón de su carne no sólo abastecida en la porción de su cuantidad, sino de sustancial nutrimento, especialmente lo que toca a la papada, que es una crecida porción de enjundias de suavísimo y delicado gusto y de útil y fácil nutrimento".

A principios del siglo siguiente fray Francisco Ximénez nos proporciona otros datos culinarios. Así, al referirse al puerco, escribe: "... hay de aqueste género en grandísima abundancia, y tanto que su manteca es el abasto de toda aquesta tierra en lugar de aceite", de donde podemos colegir que es desde antes de esta época que se usa en Guatemala la manteca de cerdo como ingrediente básico para la cocina. Al referirse a otras delicias del yantar, dice de la iguana: "... es cosa muy regalada que ni la mejor carne", y se refiere también a lo que nosotros llamamos zompopos de mayo, escribiendo: "... los indios y otras personas los comen tostados, y dicen que es comida sabrosa...". Entre los peces alude al **tepemechin**, del cual escribe: "... este es el pescado más regalado que hay en los ríos...". De los aguacates dice que hay más de 30 especies y que son de admirable gusto. A los chiles les dedica unas páginas y describe el chile **guaque**, chamborote, de chocolate y tenpenchile. A ese respecto, Fuentes y Guzmán en la **Recordación Florida** incluye unos dibujos y menciona otras especies, tales como **chiltepe**, **barrilillo**, **chile pajilla**, al que añadiríamos **el diente de perro**, y el **siete caldos**, de furioso picante.

Debemos mencionar, asimismo, algunas de las bebidas alcohólicas tradicionales en Guatemala. En primer lugar el pulque y la chicha, de origen precolombino, y luego el aguardiente de caña, de procedencia española. Respecto del primero sabemos que el obispo fray

Andrés de las Navas y Quevedo, en el siglo XVII, se mostró tan enemigo del mismo que consiguió prácticamente suprimirlo en Guatemala. La chicha, en cambio, ha persistido hasta la actualidad, aunque con serios problemas, pues especialmente a partir de la política de control en la producción de licores se prohibió su fabricación, que era en gran parte casera. Un antecedente de su persecución lo tenemos en el **Reglamento que se ha de observar en el manejo, fábrica, y ventas de la bebida llamada chicha, mingí, guarapo, agua dulce o cualquier otra semejante; cobro y administración de sus correspondientes contribuciones**, publicado en la Nueva Guatemala el 2 de enero de 1798 y firmado por el capitán general José Domás y Valle. En él se indica que la chicha debería ser de agua, panela, jocote y súchiles, pero removiéndose cada mes y prohibiendo "... los almuerzos, músicas u otro aliciente que provoque a concurso en las chicherías". Añadía que se multaría con un real a las personas que estuvieran "... en bullas de zarabanda". Naturalmente se penaba la producción clandestina de esta bebida.

Entre las comidas que se pueden considerar como tradicionales en la cocina mestiza de Guatemala, debemos mencionar las llamadas **boquitas**, que corresponden a lo que en México se denominan botanas y en España tapas. Entre las sopas, las de pepián, pulique, chojín y el delicioso guacamole, el gallo en chicha, hilachas, las variadas carnes acompañadas con mole. Entre los postres, los rellenitos de plátano, torrejas, aparte de los dulces secos que ya hemos mencionado antes.

También se deben mencionar las enchiladas, chilaquilas, tostadas, especialmente con frijoles y salsa de tomate, tacos, etcétera. Hay una enorme variedad de tamales, entre los que se pueden citar tamalitos de maíz y leche, de salpor, de **chipilín**, de acitrón, de cambray, de elote, de choreque, de queso fresco, de loroco, además de los tamales negros y colorados que son fundamentales como platos de resistencia en la dieta alimenticia guatemalteca, especialmente para determinadas festividades como Nochebuena y Año Nuevo. Como variedad de tamal también debe incluirse el chuchito, que está a mitad de camino entre el tamalito y el tamal.

Renglón importante en la dieta alimenticia son los panes rellenos con una gran variedad de elementos, pero sobre todo de gallina, encurtidos, chiles rellenos y gran variedad de carnes, todos los cuales tienden a ser desplazados por la influencia norteamericana del sándwich.

Entre las bebidas podemos

mencionar los frescos de chian, súchiles, tamarindo, tiste, horchata, agua de canela, sin duda los más comunes, además del nutritivo y delicioso chocolate que también se ha visto desplazado por el té y el café. Naturalmente, no estaría completa esta lista si no mencionáramos las diversas especies de pan dulce, de manteca o de huevo, que así se le llama, entre los que destacaremos molletes, cachos, batidas, coronas, gallina con pollos, roscas, cubiletes, champurradas, hojaldras, semitas y, entre el pan desabrido, el pirujo, el francés y las galletas, así llamadas.

Desde el punto de vista del calendario de festividades podemos indicar que para Semana Santa se preparan como platos especiales las empanadas y diversos tipos de pescado. Para el Día de los Muertos, el famoso fiambre, que es uno de los platos más importantes de la culinaria guatemalteca, y el dulce de ayote y jocote. Para Nochebuena, el consabido tamal negro o colorado, y para los cumpleaños y otras fiestas públicas, los buñuelos, plátanos fritos y gran variedad de panes rellenos, acompañados de fresco, café o chocolate, así como de granizadas.

Tomando como base el sentido espacial, podríamos dividir Guatemala en cinco grandes zonas culinarias: la zona norte, que incluiría El Petén, Alta Verapaz e Izabal; la zona oriental, que abarca los departamentos de ese rumbo; la zona occidental, con los departamentos de Huehuetenango, Quetzaltenango, Sololá, El Quiché y San Marcos; la zona sur, que comprende todo el litoral del Pacífico; y la zona central, con Guatemala, Sacatepéquez, Chimaltenango y Baja Verapaz. Veamos algunos de sus platos más característicos.

En la zona norte, en El Petén, el **tziquinché**, que son hongos que se dan en los árboles. En Izabal hay una serie de platos especiales que se utilizan en Livingston, de probable origen africano y antillano, tal como el pan de cazabe, pan de coco, pan de guineo, tamal de guineo y muchas formas de pescado. En Alta Verapaz, el picante caldo **chunto**, el **zakic**, y el **boj** y el **batido** como bebidas.

En la zona occidental sobresalen los paches quezaltecos, o sea, tamales con masa de papa en vez de maíz, el **jocón**, las ancas de rana y el queso de Chancol, en Huehuetenango, y las uluminas y cangrejos de Panajachel.

Cosecha de zanahoria, Almolonga.

En la zona sur, una riquísima variedad de frutas tropicales entre las que sobresalen zapote, jocotes, mangos, papaya, mamey y tantas otras, así como los mariscos procedentes del Océano Pacífico. También es importante mencionar el cacao de Suchitepéquez y de Escuintla, y los quesos frescos de Santa Rosa, Retalhuleu y Escuintla.

Finalmente, en la zona central, podemos incluir el fiambre, tan importante y tradicional en Guatemala, así como tantos otros platos preparados en los mercados, en comedores, algunos de gran fama como el llamado popularmente de "Las chompipas" en Antigua Guatemala; y "El Platillo Volador", en Guatemala, ubicado en el Mercado Central. También, en ventas ambulantes en las calles para los rezos y fiestas de Corpus. En Antigua, los dulces tan famosos, sobre todo los de la tienda de doña María Gordillo, ya fallecida.

En Chimaltenango, en el municipio de San Martín Jilotepeque, el complicado **subanik**, los cafés con leche y las bolitas de miel, dulces de vieja tradición. En la zona oriental, los quesos de Zacapa, insustituibles como acompañantes de los frijoles negros, y las quesadillas y marquesotes, que se dan magníficos en todos los departamentos de la región.

Como es fácil de notar, la abundancia y variedad de la cocina mestiza de Guatemala es muy grande, como para llegar a pantagruélicas comidas, en las que lo indígena y lo español han ido sedimentándose para llegar a ser lo que hasta a principios de este siglo fueron. Ojalá que tan rica expresión de la cultura guatemalteca logre sobrevivir a las difíciles horas actuales.

Tamales

Págs.

Chuchitos

Ingredientes

- ***2 libras de masa***
- ***4 onzas de loroco***
- ***1 1/2 libra de tomate***
- ***3 chiles pimientos medianos***
- ***2 onzas de queso duro***
- ***1 cebolla mediana***
- ***1 manojo grande de tusas***
- ***2 barras de margarina***
- ***2 libras de carne de pollo (puede sustituirla por carne de marrano)***
- ***2 1/2 tazas de agua***
- ***Sal al gusto***

✣ Remoje la masa con poca agua, añádale queso duro y margarina. Revuelva constantemente y deje reposar.

✣ Cocine la carne con sal, déjela enfriar y luego pártala en pedazos pequeños.

✣ Para el recado, cueza los tomates, los chiles pimientos y la cebolla, luego licúelos y fríalos, añadiendo aquí los lorocos ya lavados y cortados por la mitad.

✣ Remoje en agua las tusas.

✣ Con la masa se forma una tortilla, a la que se le coloca en medio un pedazo de carne, el recado que desee, y se forma el tamal, que se envuelve y amarra con tusas.

✣ Coloque al fondo de una olla cuatro hojas de tusa y deposite los chuchitos alrededor, de manera que quede un agujero en el centro, y vierta en él el agua.

✣ Deje cocinar durante media hora.

Página siguiente: Chuchitos.

Paches

Ingredientes

- ***6 libras de papa***
- ***2 chiles pimientos medianos cortados en tiras***
- ***1/2 libra de miltomate***
- ***2 pimientas de chapa***
- ***1 pimienta de castilla***
- ***2 dientes de ajo asados***
- ***1 cucharada de achiote***
- ***1 libra de manteca***
- ***1 1/2 libra de carne de marrano***
- ***1 cucharadita de chile seco***
- ***2 litros de agua***
- ***Sal al gusto***
- ***1 manojo de cibaque***
- ***1 1/2 manojo de hojas de mashán***

✥ Cueza la carne con sal, enfríe y córtela en pedazos pequeños.

✥ Aparte, cocine las papas y al estar listas pélelas calientes y déjelas reposar durante varias horas.

✥ Luego muela las papas con el miltomate cocido, pimientas de chapa, pimientas de castilla, chile seco y los ajos.

✥ A esta mezcla añádale manteca, achiote, sal al gusto y revuélvala constantemente.

✥ Para hacer los paches coloque sobre la mitad de una hoja de mashán otro pedazo de la misma hoja cortada en forma de cuadro. Con una cuchara grande deposite en las hojas las porciones de la masa, un pedazo de carne en medio y una tirita de chile pimiento. Envuélvalos y amárrelos con cibaque.

✥ Coloque al fondo de una olla cuatro hojas de mashán y deposite los tamales alrededor, de manera que quede un agujero en el centro para verter el agua.

✥ Deje cocinar aproximadamente 40 minutos.

Página siguiente: Paches.

Tamales colorados

Ingredientes

- ***2 libras de masa de maíz***
- ***4 onzas de ajonjolí***
- ***4 onzas de pepitoria***
- ***1 chile guaque mediano***
- ***1 chile pasa mediano***
- ***2 libras de tomate***
- ***1/2 libra de miltomate***
- ***3 chiles pimientos medianos***
- ***2 chiles pimientos medianos cortados en tiras***
- ***1/2 libra de manteca o 2 barras de margarina***
- ***2 libras de carne de marrano***
- ***1 cucharadita de achiote***
- ***3 onzas de masa de maíz***
- ***2 litros de agua***
- ***1 manojo de hojas de mashán***
- ***1 manojo de hojas de plátano***
- ***1 manojo de cibaque***
- ***Sal al gusto***

✣ Mezcle las dos libras de masa con un poco de agua hasta suavizarla. Agréguele manteca o margarina y sazone con sal al gusto. Cocine la masa hasta obtener una consistencia semidura y deje reposando.

✣ Cocine la carne con un poco de sal, deje enfriar y luego córtela en pedazos pequeños.

✣ Aparte, tueste ajonjolí y pepitoria. Luego, cueza el chile guaque, el chile pasa, tomate, miltomate y 3 chiles pimientos enteros.

✣ Licúe estos ingredientes y póngalos a cocinar, con un poco de sal, espesándolos con las 3 onzas de masa. Para darle color añada achiote.

✣ Para hacer cada tamal, coloque sobre una hoja de mashán un pedazo de hoja de plátano partida en forma de cuadro, luego vierta una porción de masa, en medio de ésta un pedazo de carne, una cucharada de recado y una tirita de chile pimiento. Envuélvalo y amarre con cibaque.

✣ Cocine los tamales con agua aproximadamente 40 minutos.

Página anterior: Tamales colorados.

Tamales de cambray

Ingredientes

- ***2 libras de masa de maíz***
- ***1 vaso de leche cocida***
- ***1 libra de manteca***
- ***1 taza de azúcar blanca***
- ***4 onzas de azúcar rosada***
- ***2 manojos de tusas***
- ***4 onzas de pasas***
- ***6 onzas de almendras***
- ***1/2 cucharadita de sal***
- ***2 1/2 vasos de agua***

✣ Mezcle bien la masa con leche, azúcar blanca, azúcar rosada, manteca derretida y la sal.

✣ Aparte, remoje las tusas en agua y córtelas en pedazos un poco largos.

✣ Para envolver los tamales, coloque dos bolitas de masa en la misma tusa, en una deposite una pasa y en la otra una almendra, envuelva con doble tusa y amarre bien, por los lados, para que el tamalito salga redondo.

✣ Coloque al fondo de una olla cuatro hojas de tusa y deposite los tamales alrededor, de manera que quede un agujero en el centro, y allí vierta el agua indicada.

✣ Deje cocinar alrededor de media hora.

Página siguiente: Tamales de cambray.

Tamales negros

Ingredientes

- ***2 libras de masa de maíz***
- ***4 onzas de ajonjolí***
- ***4 onzas de pepitoria***
- ***1 chile guaque grande***
- ***1 chile pasa grande***
- ***2 libras de tomate***
- ***3 chiles pimientos medianos***
- ***2 chiles pimientos medianos cortados en tiras***
- ***4 barras de margarina***
- ***2 libras de carne de marrano***
- ***4 onzas de ciruela***
- ***4 onzas de almendras***
- ***2 onzas de pasas***
- ***1/2 libra de chocolate***
- ***3 onzas de masa de maíz***
- ***2 litros de agua***
- ***4 cucharadas grandes de azúcar***
- ***1 manojo de hojas de mashán***
- ***1 manojo de hojas de plátano***
- ***1 manojo de cibaque***
- ***Sal al gusto***

✣ Cocine las dos libras de masa agregando margarina, 2 cucharadas de azúcar y sal al gusto, revuelva constantemente y deje reposar.

✣ Aparte, tueste pepitoria y ajonjolí. Seguidamente cocine tomate, 3 chiles pimientos enteros, chile pasa y chile guaque, y espese con las 3 onzas de masa, agregando poco a poco el chocolate, una pizca de sal y el resto de azúcar.

✣ Cocine la carne sólo con agua, deje enfriar y luego pártala en pedacitos.

✣ Para hacer cada tamal, coloque sobre la mitad de una hoja de mashán un pedazo de hoja de plátano partida en forma de cuadro, luego vierta una porción de masa y en medio un pedazo de carne, una cucharada de recado, una pasa, una ciruela, una almendra y una tirita de chile pimiento. Envuélvalo y amarre con cibaque.

✣ Cocine los tamales con agua aproximadamente 40 minutos.

Página anterior: Tamales negros.

Tamalitos de chipilín

Ingredientes

- ***2 1/2 libras de masa***
- ***1/2 libra de manteca***
- ***1/2 queso fresco***
- ***2 manojos de chipilín***
- ***1 manojo de hojas de mashán***
- ***2 1/2 tazas de agua***
- ***Sal al gusto***

✜ Mezcle la masa con la manteca, añada sal, queso deshecho y chipilín lavado y picado (observando que no vayan los troncos).

✜ Mida las porciones con una cuchara grande y colóquelas en las hojas de mashán, que previamente dejó remojando en agua.

✜ Para envolverse debe doblar bien la hoja, que por su consistencia no necesita de pita o amarre.

✜ Coloque al fondo de una olla tres medias hojas de mashán y deposite los tamales alrededor, de manera que quede un agujero en el centro y allí se vierta el agua.

✜ Deje cocinar alrededor de media hora y sírvalos tibios.

Página siguiente: Tamalitos de chipilín.

Tamalitos de elote

Ingredientes

- ***8 elotes medianos***
- ***6 onzas de queso seco***
- ***2 barras de margarina***
- ***1 taza de azúcar***
- ***2 1/2 tazas de agua***
- ***Sal al gusto***

✤ Desgrane los elotes y muélalos con un poco de agua hasta formar una masa. Seguidamente mezcle los elotes molidos con el resto de ingredientes, a excepción del agua, y revuelva constantemente.

✤ Para hacer los tamales utilice las mismas hojas de los elotes, las cuales debe remojar en agua; al sacarlas, córtelas en tiras gruesas. Deposite sobre ellas, con una cucharada grande, las porciones de masa. Cubra los tamales con las mismas hojas.

✤ Coloque al fondo de una olla cuatro hojas de elote y deposite los tamales alrededor, de manera que quede un agujero en el centro donde verter el agua.

✤ Deje cocinar durante media hora.

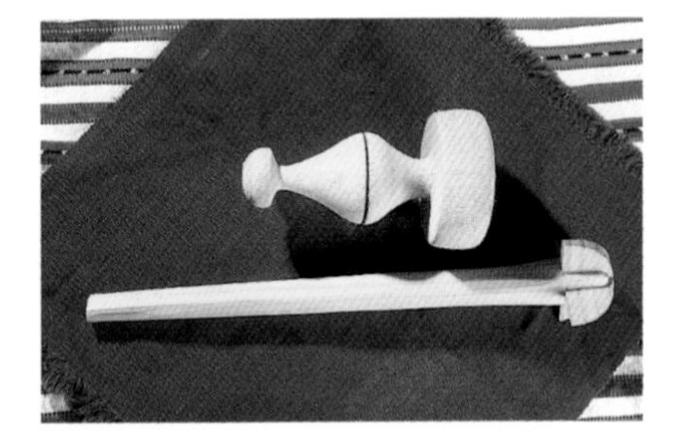

Página siguiente: Tamalitos de elote.

Tamalitos de loroco

Ingredientes

- ***2 1/2 libras de masa***
- ***1/2 libra de manteca***
- ***1/2 queso fresco***
- ***1/2 libra de loroco***
- ***2 manojos de tusa***
- ***2 1/2 tazas de agua***
- ***Sal al gusto***

✣ Mezcle la masa con la manteca, sal, queso deshecho y loroco lavado y picado.

✣ Tome las porciones con una cucharada grande y colóquelas en las hojas de tusa que previamente dejó remojando en agua, envuélvalos y amárrelos con las mismas.

✣ Coloque al fondo de una olla cuatro hojas de tusa y deposite los tamales alrededor, de manera que quede un agujero en el centro, y vierta en él el agua.

✣ Deje cocinar alrededor de media hora y sírvalos tibios.

Página anterior: Tamalitos de loroco.

Caldos

Págs.

Caldo de res (cocido)

Ingredientes

- ***2 libras de hueso para cocido***
- ***1 libra de carne de res para cocido***
- ***2 zanahorias medianas***
- ***1/2 güicoy mediano***
- ***2 elotes medianos***
- ***1 güisquil mediano***
- ***1 libra de papa***
- ***1 yuca mediana***
- ***1 nabo mediano***
- ***1 manojo de culantro***
- ***1 consomé de res***
- ***Sal al gusto***

✣ Cocine juntos la carne, el hueso y la yuca con un poco de sal. Cuando ya estén cocidos estos ingredientes, añada a dicho caldo el resto de verduras, que previamente habrá lavado y cortado en pedazos grandes.

✣ Al empezar a hervir agregue sal, consomé y culantro.

Página anterior: Caldo de res (cocido).

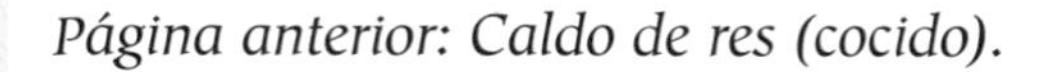

Kaq ik

Ingredientes

- ***1 pavo entero de tamaño mediano***
- ***2 libras de tomate***
- ***4 onzas de miltomate***
- ***3 cebollas medianas***
- ***4 dientes de ajo***
- ***3 bolitas de masa de maíz***
- ***2 chiles guaques medianos***
- ***1 cucharada de chile cobanero entero***
- ***3 ramas de hierbabuena***
- ***3 ramas de culantro***
- ***3 ramas de samate***
- ***1 cucharadita de pimienta en polvo***
- ***1 cucharada de achiote***
- ***Sal al gusto***

✤ Corte el pavo en piezas y póngalas a cocinar hasta que la carne esté blanda. Minutos antes de apagar el fuego añada sal.

✤ Aparte, ase tomates, chile cobanero, miltomates, chiles guaques, cebollas y ajos. Licúe estos ingredientes con un poco de agua y agregue pimienta en polvo.

✤ Al caldo donde se cocinó el pavo añada la mezcla anterior, al igual que la masa disuelta en agua.

✤ Seguidamente agregue culantro, hierbabuena, samate y achiote.

✤ Coloque en el mismo recipiente las piezas de pavo, dejando hervir unos diez minutos antes de servir.

✤ Se sugiere acompañarlo con tamalitos y arroz blanco.

Página anterior: Kaq ik.

Pollos

Págs.

Pepián colorado

Ingredientes

- ***2 1/2 libras de pollo***
- ***1 libra de tomate***
- ***1/2 libra de miltomate***
- ***1 chile pimiento mediano***
- ***4 onzas de ajonjolí***
- ***4 onzas de pepitoria***
- ***1 pan francés***
- ***1 güisquil grande***
- ***2 zanahorias medianas***
- ***1 libra de papas medianas***
- ***1/2 libra de ejotes***
- ***Sal al gusto***

✣ Limpie el pollo, cocine con sal y deje enfriar.

✣ Lave, pele y ponga a cocinar con sal las verduras. El güisquil y las zanahorias en trozos, las papas enteras y los ejotes por la mitad.

✣ Aparte tueste tomate, miltomate y chile pimiento.

✣ Seguidamente dore con unas gotas de aceite el pan, la pepitoria y el ajonjolí. Estos ingredientes se licúan con 1 1/2 taza de caldo del sobrante de la coción del pollo.

✣ Coloque en una cacerola dicha mezcla y añada las piezas de pollo, las verduras y la sal, y deje hervir.

✣ Se recomienda servir con arroz.

Página anterior: Pepián colorado.

Pepián de manía

Ingredientes

- ***2 libras de carne de gallina***
- ***2 onzas de pepitoria***
- ***2 onzas de ajonjolí***
- ***1 chile guaque mediano***
- ***1 chile pasa mediano***
- ***1/2 libra de tomate***
- ***1/2 libra de miltomate***
- ***1 raja pequeña de canela***
- ***1 clavo***
- ***2 pimientas de chapa***
- ***1/2 cucharadita de pimienta de castilla***
- ***1 libra de manía***
- ***1 manojo de culantro***
- ***Sal al gusto***

✣ Cocine la gallina con sal y deje reposar.

✣ Tueste la pepitoria y el ajonjolí. Ase el tomate, miltomate, chile pasa y chile guaque.

✣ Muela estos ingredientes, incluyendo la manía, la canela, el clavo, las pimientas de chapa y la de castilla. Cuando todo esté triturado, espéselo con el caldo de gallina y agregue la carne, culantro y sal al gusto.

Página siguiente: Pepián de manía.

Pepián negro

Ingredientes

- ***2 1/2 libras de pollo***
- ***1 güisquil grande***
- ***1/2 libra de ejotes***
- ***1 libra de papas***
- ***1/2 libra de tomate***
- ***4 onzas de miltomate***
- ***1 cebolla mediana***
- ***1 diente de ajo***
- ***1 cucharadita de ajonjolí***
- ***1 cucharada de pepitoria***
- ***1 raja pequeña de canela***
- ***1 chile guaque pequeño***
- ***1 chile pasa pequeño***
- ***2 panes franceses***
- ***4 ramas de culantro***
- ***Sal y pimienta al gusto***

✣ Cocine el pollo con sal, agregue el güisquil pelado y cortado en pedazos gruesos, así como los ejotes partidos por la mitad. Tres minutos después añada las papas, que deben estar peladas y cortadas en dos. Luego retire del fuego y deje reposar.

✣ Seguidamente ase bien los tomates, miltomates, cebolla, chile guaque, chile pasa y ajo.

✣ Ponga a quemar los panes, remójelos en agua por unos minutos y escúrralos.

✣ Muela la pepitoria y el ajonjolí. Cuando ya estén triturados, añádalos a la licuadora junto con los ingredientes asados, la canela deshecha, las hojas de culantro y el pan.

✣ Seguidamente, cuele dicha mezcla y póngala a freír con un poco de aceite. Añada 2 tazas de caldo del pollo cocinado y revuelva.

✣ Al empezar a hervir agregue las piezas de pollo, las verduras, sal y pimienta.

Página siguiente: Pepián negro.

Pollo conservado

Ingredientes

- ***2 libras de pollo***
- ***4 onzas de mantequilla***
- ***2 cebollas medianas***
- ***1 libra de tomate***
- ***1 chile pimiento mediano***
- ***2 dientes de ajo***
- ***1 zanahoria mediana***
- ***1/2 libra de papas***
- ***Sal al gusto***

✤ Limpie el pollo, cocínelo con agua y sal. Luego fría las piezas en mantequilla, agregue cebolla, tomate, papa y zanahoria en rodajas, el chile pimiento en tiras y el ajo finamente picado.

✤ Agregue, para que hierva, dos tazas de agua y sal al gusto.

✤ Si desea puede verter, al momento de hervir, salsa de tomate preparada.

Página anterior: Pollo conservado.

Pollo en crema con loroco

Ingredientes

- ***2 libras de pollo***
- ***1 apio mediano***
- ***1 puerro mediano***
- ***1 chile pimiento mediano***
- ***1 cucharada de harina***
- ***4 onzas de loroco***
- ***1 bote pequeño de champiñones***
- ***1 vaso de crema***
- ***Sal al gusto***

✣ Limpie el pollo, séquelo con un paño de algodón, póngalo a dorar y deje que vaya escurriendo el aceite.

✣ A continuación, lave el apio, el puerro, el loroco y el chile pimiento y píquelo todo.

✣ Licúe estos ingredientes con 1/2 taza de agua, la harina y sal al gusto.

✣ Coloque esta mezcla en una cacerola, junto a los pedazos de pollo, y cuando hiervan añada la crema y los champiñones.

✣ Se recomienda servir con arroz.

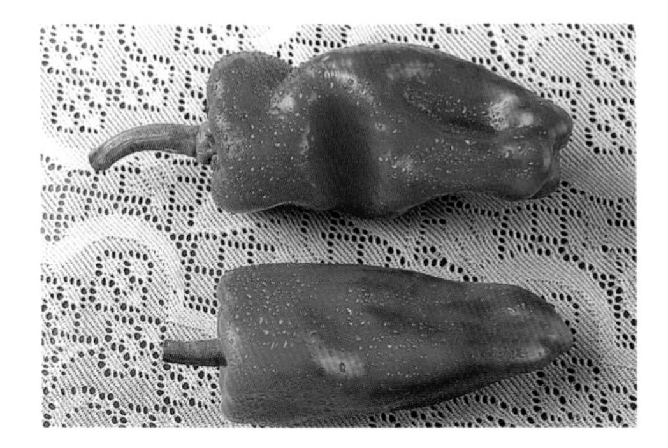

Página anterior: Pollo en crema con loroco.

Pollo en jocón

Ingredientes

- ***2 libras de pollo***
- ***2 güisquiles medianos***
- ***5 tallos de cebolla***
- ***1/2 libra de miltomate***
- ***Ramas de culantro***
- ***Sal al gusto***

✤ Limpie el pollo, cocine con agua y sal y deje que enfríe. Pele los güisquiles, córtelos en pedazos gruesos y cocine con sal.

✤ Luego pique los tallos de cebolla y el culantro y, junto con el miltomate entero, déjelos en un recipiente de agua hirviendo.

✤ Licúe estos ingredientes y agregue sal.

✤ Vierta dicha mezcla en una cacerola y deposite los pedazos de pollo, así como los de güisquil, hasta que hiervan.

Página siguiente: Pollo en jocón.

Variedades

Págs.

Curtido rojo

Ingredientes

- ***6 remolachas pequeñas***
- ***1 repollo pequeño***
- ***5 cebollas pequeñas***
- ***1 libra de ejotes***
- ***3 chiles pimientos pequeños***
- ***2 hojas de laurel***
- ***1 rama de tomillo***
- ***4 onzas de vinagre***
- ***Sal al gusto***

✤ Lave y pique los primeros cinco ingredientes en tiras julianas. Luego póngalos a cocinar.

✤ Seguidamente déjelos escurrir y, mientras se enfrían, añada tomillo, laurel, vinagre y sal al gusto.

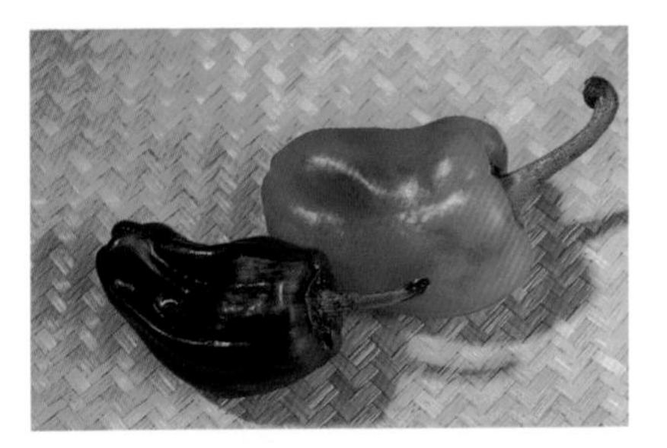

Página siguiente: Curtido rojo.

Chiles rellenos

Ingredientes

- ***1 docena de chiles pimientos***
- ***1 libra de carne de bolovique***
- ***1 chile pimiento pequeño***
- ***3 zanahorias medianas***
- ***1 libra de papa***
- ***1/2 libra de ejote***
- ***5 tomates***
- ***3 dientes de ajo***
- ***3 huevos***
- ***1 consomé de res***
- ***3 cebollas medianas***
- ***1 cucharadita de pimienta en polvo***
- ***Hojas de laurel***
- ***Sal al gusto***

✣ Cocine la carne con sal, 1 cebolla, 1 diente de ajo y 2 tomates. Una vez lista y fría, pase sólo la carne por el procesador o píquela finamente.

✣ Aparte, lave los ejotes, las zanahorias, las papas y 1 cebolla. Luego pele estos ingredientes, píquelos en pedazos muy pequeños y déjelos que se cuezan.

✣ Seguidamente, triture 3 tomates sin cáscara, 2 dientes de ajo, el chile pimiento y 1 cebolla. Fríalos con hojas de laurel, consomé de res, pimienta y sal. Agregue la verdura previamente cocinada y la carne, revolviendo durante 3 minutos.

✣ Lave los chiles y póngalos a asar, para luego depositarlos en un recipiente amplio. Hágales una abertura no muy grande, desvénelos y sáqueles las pepitas.

✣ Con una cuchara deposite el relleno en cada uno de los chiles, ciérrelos y páselos por huevo, previamente batido, y añádales un poco de sal.

✣ Fríalos con suficiente aceite a fuego lento y, antes de comerlos, colóquelos en una servilleta para quitarles la grasa.

✣ Para servirlos puede hacerlo vertiéndoles una salsa de tomate tradicional.

Página anterior: Chiles rellenos.

Enchiladas

Ingredientes

- ***1 libra de bolovique***
- ***2 ajos***
- ***1 chile guaque mediano***
- ***1 cebolla mediana***
- ***1 tomate mediano***
- ***1/2 cucharadita de pimienta***
- ***8 onzas de salsa de tomate tradicional***
- ***Sal al gusto***

Para el curtido

- ***1/4 de repollo rallado***
- ***1 cebolla grande en tiras***
- ***1 cucharada de mostaza***
- ***1 cucharada de salsa inglesa***

✣ Limpie la carne y póngala a cocinar agregando 1 ajo, cebolla, tomate y sal. Una vez lista déjela enfriar, tritúrela con procesador y déjela reposar.

✣ A la salsa de tomate tradicional, previamente preparada, se recomienda agregarle chile guaque desvenado y 1 ajo.

✣ Ponga a hervir la salsa y agregue la carne picada, pimienta y, si fuera necesario, también sal.

✣ Para el curtido, caliente aceite en una olla, eche repollo y cebolla, y sofría rápidamente. Añada mostaza, salsa inglesa, sal, pimienta, laurel, tomillo, azúcar y vinagre, revuelva bien y deje hervir por poco tiempo.

✣ Al sacarlo del fuego agregue zanahoria, ejote, remolacha, sal y orégano.

✣ Para el adorno, lave las hojas de lechuga, séquelas y resérvelas en un plato.

✣ Aparte, coloque perejil, cebolla, huevo duro y queso en platos separados.

✣ Eche en una sartén, con suficiente aceite, las tortillas, dórelas por los dos lados y séquelas con una servilleta.

(Continúa en la página 68).

Página siguiente: Enchiladas.

Enchiladas (continuación)

- *1/4 cucharadita de pimienta*
- *1 hoja de laurel*
- *1 ramita de tomillo*
- *1/4 cucharadita de azúcar*
- *1 1/2 taza de vinagre*
- *2 zanahorias cocidas en trocitos*
- *1 taza de ejotes cocidos en trocitos*
- *4 remolachas cocidas en trocitos*
- *1 cucharadita de orégano desmenuzado o en polvo*
- *Sal al gusto*

Para el adorno

- *12 hojas de lechuga*
- *3 cucharadas de perejil picado*
- *1 cebolla mediana cortada en anillos*
- *2 huevos duros cortados en ruedas*
- *4 cucharadas de queso duro rallado*
- *12 tortillas*

✣ Para armar las enchiladas tome una tortilla, coloque encima una hoja de lechuga, luego con una cucharada vierta un poco de carne, encima otra porción similar de curtido, rocíe con perejil, y finalmente agregue dos ruedas de cebolla, una de huevo duro y media cucharadita de queso duro.

Fiambre

Ingredientes

Caldillo

- ***12 naranjas agrias***
- ***1 litro de caldo de pollo o gallina desgrasado***
- ***2 huevos duros***
- ***3 onzas de queso duro***
- ***4 cucharadas de mostaza***
- ***1/2 taza de vinagre***
- ***1/2 taza de jugo de cebollitas curtidas***
- ***1 lata de chiles pimientos***
- ***1 lata de espárragos***
- ***2 cucharadas de aceite de oliva***
- ***1/2 cucharadita de azúcar***
- ***Sal al gusto***

✣ Vierta en la licuadora el caldo de gallina y añada todos los ingredientes del caldillo hasta obtener una mezcla homogénea.

✣ Seguidamente, lave las zanahorias, los ejotes, las arvejas, el repollo blanco, la coliflor y la col de bruselas, píquelo en pedazos pequeños y cocine con agua y sal al gusto.

✣ Inmediatamente cueza los garbanzos y las habas.

✣ Aparte, pele las remolachas y cocínelas enteras. Cuando estén listas córtelas en pedazos pequeños y déjelas reposar junto con el resto de las verduras.

(Continúa en la página 70).

Verduras y legumbres

- ***1/2 docena de zanahorias medianas***
- ***1 libra de ejotes***
- ***1/2 libra de arvejas peladas***
- ***1 repollo mediano***
- ***1 coliflor mediana***
- ***1 repollo morado cocido y cortado en pedazos pequeños***
- ***3 remolachas medianas***
- ***2 pacayas cocidas medianas***
- ***1/2 libra de col de bruselas***
- ***1/2 libra de habas verdes***
- ***4 onzas de frijol blanco cocido***
- ***4 onzas de frijol colorado cocido***
- ***4 onzas de garbanzos***
- ***1 manojo de rábanos (adorno)***

Fiambre (continuación)

- *1 lechuga mediana (adorno)*
- *1 chile pimiento verde largo mediano (adorno)*
- *1 chile chamborote mediano (adorno)*
- *1 chile pimiento verde mediano*

Carnes

- *4 onzas de lengua salitrada*
- *4 chorizos negros cocidos*
- *4 chorizos colorados cocidos*
- *4 butifarras*
- *2 chorizos extremeños*
- *1/2 libra de salchichones surtidos*
- *1/2 libra de jamones surtidos*
- *4 onzas de salami*
- *1/2 libra de salchichas*
- *1/2 libra de lomo de cinta curado*

✣ Luego, parta en trocitos o tiras las carnes, los embutidos, los quesos tipo americano, el de capas y los curados, y revuelva con las verduras, legumbres, espárragos, mejillones, cebollitas, pimientos y aceitunas. Acuérdese de dejar una porción pequeña de cada uno de estos ingredientes para adornar.

✣ Sobre los ingredientes anteriores vierta el caldillo y la pimienta y déjelo reposar todo durante una noche.

✣ Al día siguiente, decore los platos colocando alrededor hojas de lechuga lavadas, en medio el curtido ya preparado, y encima los adornos sugeridos.

Página siguiente: Fiambre.

- *1 pollo o gallina (el que utilizó para el caldo)*

Abarrotes

- *4 huevos duros en rodajas (adorno)*
- *1 frasco de cebollitas curtidas*
- *1 lata de pimientos morrones*
- *1 lata de sardinas*
- *4 onzas de aceitunas*
- *1 frasco pequeño de espárragos*
- *1 lata de mejillones*
- *4 onzas de queso tipo americano blanco*
- *4 onzas de queso tipo americano amarillo*
- *1/2 libra de quesos curados surtidos*
- *1/4 queso de capas*
- *4 onzas de queso duro (adorno)*
- *Pimienta al gusto*

Frijoles volteados

Ingredientes

- ***1 libra de frijol negro***
- ***2 cebollas medianas***
- ***8 dientes de ajo***
- ***5 tallos de cebolla***
- ***1/2 taza de aceite***
- ***Sal y consomé al gusto***

✣ Limpie y lave los frijoles. Cocínelos con agua, tallos de cebolla, 4 dientes de ajo, 1 cebolla partida en cruz, sal y consomé. Una vez listos, déjelos enfriar un poco y cuélelos bien a medida que queden espesos.

✣ Aparte, vierta el aceite en una sartén, agregue los frijoles, así como el resto de los ajos y la cebolla finamente picados. Mueva constantemente hasta que tomen consistencia.

✣ Puede servirse con queso fresco y crema.

Página siguiente: Frijoles volteados.

Hilachas

Ingredientes

- ***1 libra de carne de res para hilachas***
- ***10 tomates medianos***
- ***10 miltomates***
- ***2 chiles pimientos medianos***
- ***4 dientes de ajo***
- ***2 cebollas medianas***
- ***1 libra de papa***
- ***1/2 cucharadita de azúcar***
- ***1/2 cucharadita de pimienta negra en polvo***
- ***1 consomé de res***
- ***Sal al gusto***

✣ Cocine la carne con sal y 2 dientes de ajo durante media hora. Cuando se enfríe, deshiláchela.

✣ Pele las papas, córtelas en rodajas y cocínelas.

✣ Aparte cueza en un mismo recipiente los tomates, los miltomates, los chiles pimientos, los ajos restantes, el azúcar, la pimienta, sal y una cebolla.

✣ Ya listos estos ingredientes, licúelos con poca agua, para luego freírlos con una cebolla finamente picada.

✣ A esta salsa añádale la carne, las papas, el consomé de res y sal, y déjelo hervir por lo menos durante quince minutos.

✣ Se recomienda servirlas con arroz.

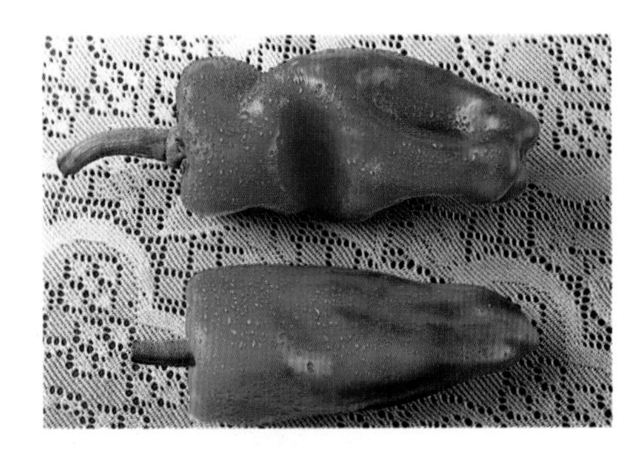

Página siguiente: Hilachas.

Patitas a la vinagreta

Ingredientes

- ***4 patitas de marrano***
- ***1 taza de vinagre***
- ***2 cucharadas de aceite***
- ***1 cucharada de cebolla picada***
- ***1 chile pimiento mediano picado***
- ***1 cucharadita de mostaza***
- ***1/2 cucharadita de salsa inglesa***
- ***1/4 cucharadita de pimienta***
- ***2 cucharadas de perejil picado***
- ***1 güisquil mediano en trocitos***
- ***1 taza de ejote partido sesgado***
- ***1 zanahoria mediana partida en rajitas***
- ***2 papas medianas partidas en trocitos***
- ***1/2 lechuga para adornar***
- ***Sal al gusto***

✤ Raspe bien las patitas y lávelas con bastante agua. Póngalas a cocinar cubiertas con agua y una cucharada de sal.

✤ Déjelas hervir hasta que estén suaves. Al estar cocidas se dejan enfriar y se les quitan los huesos, si lo desea.

✤ Colóquelas en el centro de un azafate, ya sea enteras o partidas en trozos grandes.

✤ Aparte, mezcle el vinagre con aceite, cebolla, chile pimiento, perejil, mostaza, salsa inglesa, sal y pimienta, y deje reposar.

✤ Luego cocine el güisquil, el ejote, la zanahoria y las papas, así como cada verdura por separado con un poco de sal. Una vez cocidas, escúrralas y mezcle todos estos ingredientes. Coloque estas verduras alrededor de las patitas, adorne con hojas de lechuga y bañe todo con la salsa anterior.

✤ Deje que se curtan por una hora antes de servir.

Página anterior: Patitas a la vinagreta.

Pescado en amarillo

Ingredientes

- ***2 libras de pescado sherla***
- ***1 manojo de perejil***
- ***1 chile pimiento mediano***
- ***2 huevos***
- ***1 libra de tomate***
- ***2 cebollas medianas***
- ***1/2 libra de miltomate***
- ***2 onzas de arvejas***
- ***2 onzas de zanahoria picada***
- ***2 onzas de güisquil picado***
- ***2 onzas de harina dorada***

✣ Deje el pescado remojando con agua un día antes, luego cocínelo para suavizarlo y colóquelo sobre una servilleta para estirarlo.

✣ Seguidamente bata los huevos, envuelva los pedazos de pescado en ellos, póngalos a freír y deje reposar.

✣ Aparte, pique tomate, miltomate, perejil, cebollas y chile pimiento, licúelos y fríalos. A esta salsa se le añade la harina dorada, para espesarla, arvejas, zanahorias y güisquil, así como el pescado.

✣ Hierva durante 5 minutos.

Página anterior: Pescado en amarillo.

Revolcado

Ingredientes

- ***1 cabeza pequeña de cerdo***
- ***1/2 libra de menudos de cerdo***
- ***1/2 libra de miltomate***
- ***2 libras de tomate***
- ***1 chile pimiento grande***
- ***3 pimientas gordas***
- ***1 cebolla grande***
- ***4 dientes de ajo***
- ***1/2 chile guaque mediano***
- ***Consomé y sal al gusto***

✤ Lave la cabeza del cerdo y los menudos. Luego cocine esta carne con agua y sal y, una vez lista, déjela enfriar para partirla en trocitos.

✤ Por separado, tueste miltomate, tomate, cebolla, chile guaque, chile pimiento y ajos.

✤ Licúe estos ingredientes con agua y agregue las pimientas.

✤ En una sartén cocine esta salsa y añádale los trocitos de carne, sal y consomé al gusto.

Página siguiente: Revolcado.

Salpicón

Ingredientes

- ***1 libra de carne bolovique***
- ***1 cebolla grande***
- ***1 naranja agria o limón grande***
- ***4 ramas de hierbabuena***
- ***Sal al gusto***

✤ Cocine la carne con sal y la mitad de la cebolla.

✤ Cuando la carne se enfríe, píquela bien o pásela por el procesador.

✤ Aparte pique el resto de la cebolla y la hierbabuena, mezcle estos ingredientes con la carne y añada el jugo de la naranja o limón y sal al gusto.

Página siguiente: Salpicón.

Tacos de res

Ingredientes

- ***12 tortillas de fábrica***
- ***1/2 libra de carne de salpicón***
- ***2 zanahorias medianas***
- ***1/2 libra de papa***
- ***1/2 libra de ejote***
- ***8 onzas de salsa de tomate tradicional***
- ***1 chile pimiento mediano***
- ***3 cebollas medianas***
- ***4 onzas de queso duro***
- ***2 dientes de ajo***
- ***2 hojas de laurel***
- ***1 ramita de tomillo***
- ***1 pizca de pimienta***
- ***12 tiras de tusa***
- ***Ramas de perejil***
- ***Sal al gusto***

✣ Cocine la carne con una cebolla partida en cuatro y añádale el ajo y sal.

✣ Por separado pele la zanahoria y el ejote, y píquelos finamente para luego cocinarlos.

✣ Cuando enfríe la carne, tritúrela, pásela por el procesador y póngala a freír con laurel, tomillo, ejote, zanahoria, chile pimiento y una cebolla, previamente picados.

✣ Pele las papas y cocínelas. Una vez frías, macháquelas como si fuera a hacer puré.

✣ Deposite la verdura y la carne frita en el recipiente de la papa y fría nuevamente estos ingredientes, agregando sal y pimienta.

✣ Introduzca en el centro de las tortillas crudas la mezcla anterior, envuélvalas, amárrelas con tusa para que no se abran y póngalas a freír con suficiente aceite.

✣ Al servir los tacos rocíelos por encima con unas cucharadas de salsa de tomate tradicional, perejil picado, cebolla en rodajas y queso duro.

Página anterior: Tacos de res.

Tiras

Ingredientes

- ***1 libra de panza***
- ***1/2 libra de miltomate***
- ***2 tomates medianos***
- ***1 chile pimiento mediano***
- ***2 dientes de ajo***
- ***1/2 cucharadita de pimienta en polvo***
- ***Sal al gusto***

✣ Cocine todos los ingredientes juntos menos la carne. Cuando estén listos, déjelos enfriar y páselos por un colador de mano. Luego ponga a hervir esta salsa y agregue nuevamente un poco de sal.

✣ Por separado cocine la panza con sal y, una vez fría, córtela en trocitos o tiras, agréguelos a la salsa caliente y cocine todo durante quince minutos más.

Página anterior: Tiras.

Tortitas de papa

Ingredientes

- ***2 libras de papa***
- ***8 onzas de queso fresco***
- ***4 onzas de harina***
- ***1 cebolla pequeña***
- ***1 cebolla pequeña cortada en rodajas***
- ***1/4 cucharadita de pimienta***
- ***4 onzas de salsa de tomate tradicional***
- ***Sal al gusto***

✣ Pele las papas, cocínelas con un poco de sal y luego déjelas reposando.

✣ Cuando ya estén frías tritúrelas con un machacador o un colador de mano y agrégueles 6 onzas de queso deshecho, la cebolla finamente picada, pimienta y sal al gusto.

✣ Revuelva constantemente dicha mezcla.

✣ Para hacer las tortas empape continuamente sus manos con harina y póngalas a freír en aceite hirviendo.

✣ Puede servir, si lo desea, con salsa de tomate tradicional, queso fresco y cebolla en rodajas.

Página siguiente: Tortitas de papa.

Postres

Págs.

Ayote en dulce

Ingredientes

- ***1 ayote mediano***
- ***1/2 libra de panela***
- ***1/2 raja de canela***
- ***1/2 raíz de jengibre***
- ***1 pimienta gorda***

✤ Parta en pedazos el ayote y lávelo bien.

✤ Deposite en el recipiente donde lo preparará canela y panela en pedazos, jengibre, pimienta gorda, el ayote y una cantidad de agua que no llegue a cubrirlo .

✤ Deje cocinando hasta que los pedazos estén suaves y hayan absorbido la miel.

Página siguiente: Ayote en dulce.

Buñuelos de anís

Ingredientes

- ***1 cucharada de anís***
- ***1 taza de harina***
- ***4 huevos***
- ***1 taza de miel de abeja o jarabe de azúcar***

Jarabe de azúcar

- ***1/2 taza de azúcar***
- ***1 taza de agua***
- ***1 raja pequeña de canela***
- ***2 pimientas gordas***
- ***2 clavos de olor***
- ***1 cáscara pequeña de limón***
- ***1 brocha de tusa pequeña***

✣ Hierva el anís con la taza de agua y luego cuélela. Vuelva a colocar el agua al fuego, agregue de golpe la harina y mueva con una paleta hasta formar una bola.

✣ Retire la preparación anterior del fuego, añada los huevos uno a uno y mezcle muy bien con la paleta.

✣ En una sartén coloque suficiente aceite o manteca y, cuando esté caliente, vaya echando cucharaditas de pasta para formar los buñuelos. Cuando estén doraditos y crecidos, sáquelos y rocíelos con la miel.

Preparación del jarabe:

✣ Mezcle todos los ingredientes y póngalos a hervir durante tres o cuatro minutos.

✣ Con este jarabe rocíe los buñuelos, a poder ser utilizando una brocha realizada con tusas.

Página siguiente: Buñuelos de anís.

Duraznos en miel

Ingredientes

- ***2 docenas de duraznos***
- ***1/2 taza de azúcar***
- ***1 libra de cerezas***
- ***1/2 raja de canela***

✣ Pele los duraznos, cocínelos con agua y añada la raja de canela.

✣ Cuando hierva, agregue el azúcar y las cerezas previamente lavadas.

✣ Deje enfriar y sirva.

Página anterior: Duraznos en miel.

Higos en dulce

Ingredientes

- ***3 docenas de higos***
- ***1 libra de azúcar***
- ***2 onzas de cal***

✣ Pele los higos y déjelos reposando unos 15 minutos en un recipiente con cal y un poco de agua. Este procedimiento es necesario para que no se deshagan en el momento de cocinarlos.

✣ Lávelos y póngalos a cocer con agua, sin que ésta llegue a cubrirlos.

✣ Cuando estén a punto de hervir añada poco a poco el azúcar y déjelos en el fuego hasta que se forme la miel.

Página siguiente: Higos en dulce.

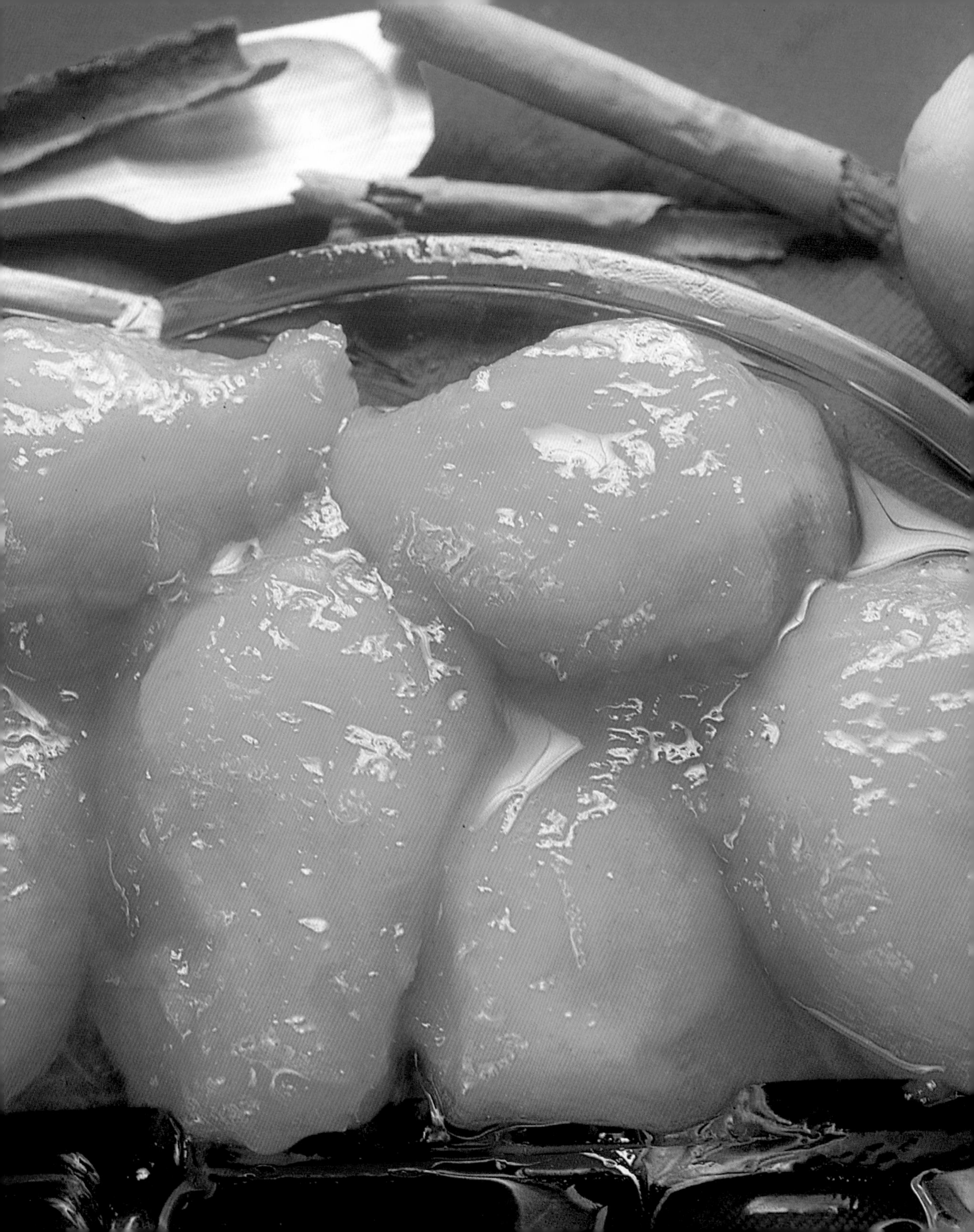

Mangos en dulce

Ingredientes

- ***12 mangos medianos***
- ***1 taza de azúcar***
- ***1/2 raja de canela***

✤ Lave los mangos con agua y pélelos.

✤ Deposítelos en una olla y agrégueles agua hasta taparlos.

✤ Una vez puestos al fuego, añada el azúcar y la canela.

✤ Cocínelos durante veinticinco minutos, retírelos del fuego y sírvalos fríos.

Página anterior: Mangos en dulce.

Mole de plátano

Ingredientes

- ***1/2 docena de plátanos medianos***
- ***4 onzas de ajonjolí***
- ***8 semillas de pepitoria***
- ***2 tomates manzanos***
- ***1/2 libra de chocolate***

✣ Fría los plátanos que previamente habrá cortado en rodajas o en forma sesgada, escúrrales el aceite y déjelos reposar.

✣ Aparte ase el ajonjolí, las semillas de pepitoria y los tomates manzanos sin cáscara en un comal.

✣ Separe una cucharada de ajonjolí y otra de pepitoria ya asadas, las cuales servirán para el adorno.

✣ El resto de dichos ingredientes se licúan con poca agua y se depositan en una sartén para que hiervan.

✣ Al mismo recipiente se le agrega el chocolate y, una vez deshecho, añada los plátanos. Déjelos al fuego unos minutos más.

✣ Para servir incorpore el ajonjolí y, si lo desea, algunas semillas de pepitoria.

Página siguiente: Mole de plátano.

Rellenitos de plátano

Ingredientes

- ***10 plátanos medianos***
- ***4 onzas de frijol***
- ***4 onzas de azúcar***
- ***4 onzas de vainilla (esencia)***
- ***1 sobre de canela en polvo***

✣ Pele los plátanos y cocínelos con agua.

✣ Cuando estén cocidos tritúrelos con un machacador y déjelos reposar durante media hora para que se enfríen.

✣ Por separado cocine el frijol sólo con agua, licúelo de manera que quede espeso, póngalo en una sartén con un poco de aceite y añada azúcar, canela y vainilla.

✣ Mezcle estos ingredientes a fuego lento durante cinco minutos.

✣ Cuando el plátano ya esté frío, haga bolitas del mismo y luego aplástelas como si fueran tortillas, deposite una porción de frijol en medio de cada una y ciérrelas, dándoles la forma ovalada para que no se salga el relleno.

✣ Fría los rellenitos en una sartén, preferentemente de teflón, con suficiente aceite.

✣ Puede servirlos con crema, o bien rociarlos con azúcar.

Página siguiente: Rellenitos de plátano.

Torrejas

Ingredientes

- ***10 molletes medianos***
- ***2 onzas de margarina***
- ***2 onzas de pasas***
- ***1 cucharadita de canela en polvo***
- ***3 huevos***
- ***1 cucharada de harina***
- ***2 tazas de agua hirviendo***

Para la miel

- ***2 tazas de azúcar***
- ***4 tazas de agua***
- ***2 onzas de ron***
- ***1 raja de canela***
- ***2 clavos enteros***
- ***2 pimientas enteras***
- ***1 cáscara de limón***
- ***2 onzas de azúcar rosada (si lo desea)***
- ***10 ciruelas secas***

✣ Parta los molletes por la mitad, unte con margarina las dos tapas, rocíelas con canela, póngales unas 4 pasitas y tápelos formando de nuevo el mollete.

✣ Bata las claras de los 3 huevos hasta que formen picos, añada las yemas, luego la cucharada de harina y mezcle bien.

✣ Caliente suficiente aceite en una sartén, pase cada mollete por huevo batido y luego fríalo en el aceite semi caliente. Dórelos por los dos lados, sáquelos de la sartén y póngalos en un colador grande. Viértales el agua hirviendo, seque cada uno con un limpiador y deje reposar mientras hace la miel.

Preparación de la miel:

✣ Mezcle todos los ingredientes menos el ron. Póngalos al fuego y deje hervir.

✣ Cuando dicha mezcla lleve 2 minutos hirviendo, coloque las torrejas y agregue el ron si lo desea.

✣ Deje hervir hasta que las torrejas estén suaves. Déles la vuelta para que se impregne bien la miel.

✣ Para servir, rocíelas con azúcar rosada y coloque una ciruela encima.

Página anterior: Torrejas.

Bebidas

Págs.

Arroz con chocolate

Ingredientes

- ***1/2 libra de arroz entero***
- ***1 raja de canela***
- ***1/2 taza de azúcar***
- ***2 tabletas de chocolate***
- ***4 tazas de agua***

✣ Lave bien el arroz y cocínelo con las 4 tazas de agua y la canela. Cuando empiece a hervir añada el azúcar y el chocolate hasta que se deshaga, con la ayuda de un molinillo.

✣ Deje la mezcla en el fuego hasta que el arroz esté en su punto.

Página siguiente: Arroz con chocolate.

Arroz en leche

Ingredientes

- ***1/2 libra de arroz entero***
- ***1 raja pequeña de canela***
- ***3 tazas de leche***
- ***1 pizca de sal***
- ***1/2 taza de azúcar***
- ***1/2 litro de agua caliente***

✣ Lave el arroz y depositelo en un recipiente con medio litro de agua caliente y la canela.

✣ Cuando el agua esté hirviendo agregue la pizca de sal y el azúcar. Una vez cocido el arroz, vierta encima la leche y mueva todo un poco hasta que llegue a punto de ebullición.

Página anterior: Arroz en leche.

Atol blanco.

Atol blanco (de masa)

Ingredientes

- ***10 bolitas de masa de maíz***
- ***4 onzas de frijol negro***
- ***1 cebolla pequeña***
- ***1 diente mediano de ajo***
- ***4 onzas de chile cobanero***
- ***4 onzas de pepitoria***
- ***4 tazas de agua***
- ***Sal al gusto***

✣ Cocine la masa con el agua y mueva constantemente hasta que hierva unos 3 minutos.

✣ Aparte, cueza los frijoles con sal, cebolla y ajo. Cuando estén listos, cuélelos y déjelos reposar en un recipiente.

✣ Sirva el atol caliente, vierta encima de la taza granos de frijol, una cucharadita de chile, otra de pepitoria y, si lo desea, también una pizca de sal.

Atol de elote

Ingredientes

- ***6 elotes medianos (preferentemente amarillos)***
- ***1 taza de azúcar***
- ***2 tazas de leche***
- ***2 1/2 tazas de agua***
- ***1 raja pequeña de canela***
- ***1 cucharadita de sal***

✣ Lave los elotes y desgránelos. Licúe los granos con el agua y en un recipiente grande vierta esta mezcla.

✣ Cocine a fuego lento y, mientras lo remueve, añada el azúcar, la canela, la sal y la leche.

✣ No olvide removerlo constantemente para evitar que se pegue.

✣ Puede servirlo con granos de elote cocido.

Página anterior: Atol de elote.

Atol de haba

Ingredientes

- ***1 libra de harina de haba***
- ***1 raja mediana de canela***
- ***2 vasos de leche***
- ***8 onzas de azúcar***

✣ Deshaga la harina en el agua. Luego colóquela al fuego y agregue canela, leche y azúcar. Revuelva constantemente para que no se pegue y deje hervir unos diez minutos.

Página anterior: Atol de haba.

Índice alfabético de recetas